Poczytam Ci mamo

BEATA OSTROWICKA

Elementarz

ILUSTRACJE
KATARZYNA
KOŁODZIEJ

NASZA KSIĘGARNIA

Książki w serii  Poczytam ci mamo

Poczytam ci, mamo. Elementarz

Poczytam ci, mamo. Elementarz matematyczny

Poczytam ci, mamo. Elementarz przyrodniczy

O Lence, Antku i okropnym Albercie

O Lence, Antku i planowaniu

Konsultacja metodyczna: prof. nzw. dr hab. Lidia Marszałek

Wstęp

Nauka czytania jest bardzo ważna w rozwoju. To dzięki niej dziecko ćwiczy koncentrację, skupienie uwagi, konstruktywne myślenie, zwiększa zasób słownictwa i poznaje świat. Zwykle dzieci wcześnie zaczynają się interesować światem liter, nie należy im tego zabraniać, a w miarę szybko rozpocząć „zabawę w czytanie". Nauka czytania przyczynia się bowiem do rozwoju mowy i poznawczego, dzieci przyswajają porządkowanie świata „od lewej do prawej", ćwiczą dużą i małą motorykę, analizę i syntezę wzrokową, szeregowanie itp. Pierwszymi nauczycielami czytania są zwykle rodzice, a najlepszy czas na rozpoczęcie nauki przypada już na początek wieku przedszkolnego. Pamiętajmy, że czytanie powinno kojarzyć się z przyjemnością i pasją, a nie przykrym obowiązkiem. Nigdy nie zmuszajmy do czytania. Gdy dziecko będzie gotowe, samo sięgnie po książkę. Warto zacząć od najprostszego, czyli codziennego czytania dziecku i z dzieckiem. Gotowi? Start!

Poczytam ci, mamo. Elementarz zawiera różnorodne teksty, które łączy grupa bohaterów. Podejmowane tematy związane są z najbliższym otoczeniem dziecka, dzięki czemu zawierają słowa, z którymi dziecko często się spotyka, choć autorka później wprowadza też słowa nieobecne w bezpośrednim otoczeniu dziecka oraz pojęcia abstrakcyjne.

Książka podzielona została na trzy etapy:

Etap pierwszy to ilustracyjne przedstawienie bohaterów i ich świata. Najmłodszy czytelnik opowiada, co widzi, a dzięki wsparciu rodzica może uczyć się czytać pierwsze słowa metodą globalną. Dzieci czytają globalnie od wczesnego dzieciństwa, np. odczytują nazwy w reklamach, na produktach żywnościowych i wcale nie przeszkadza im w tym nieznajomość liter. Postrzegają zapis graficzny wyrazu jako całość*, tak jakby patrzyły na budowlę z klocków bez uświadamiania sobie, że składa się z poszczególnych elementów. Dzieci od początku czytają całymi wyrazami, dlatego też szybciej udaje się im odczytywać teksty i są bardziej zainteresowane ich treścią, a dopiero po jakimś czasie samodzielnie dochodzą do analizy i syntezy (zauważają litery) poprzez porównywanie i różnicowanie wyrazów.

Etap drugi (na stronach 19–84) zawiera teksty tworzone zgodnie z zasadą „Tak się czyta, jak się pisze". Zostało tu wprowadzonych 30 podstawowych liter. Najpierw najprostsze, czyste fonetycznie, najwcześniej pojawiające się w rozwoju mowy dziecka (a, s, l, i, o, y, k, t, u, e, m, c, d, g, n, p, w, z, b), trochę później te trudniejsze (j, ą, ę, ó, ł, h, ż), poza tym zmiękczenia przez „i" („i" jako znak zmiękczający i sylabotwórczy) oraz zmiękczenia ć, ń, ś, ź. Na tym etapie zostały ponownie wprowadzone elementy czytania globalnego. Każdemu tekstowi towarzyszy dymek z wybranym wyrazem w trzech wersjach – wyraz jako całość, następnie podzielony na wyróżnione kolorystycznie samogłoski i spółgłoski, wreszcie wyraz podzielony na sylaby. Dzięki temu dziecko ćwiczy analizę i syntezę, wskazuje samogłoski i spółgłoski, a jednocześnie ma przed oczami także całościowy obraz wyrazu.

Etap trzeci (na stronach 87–155) zawiera teksty tworzone zgodnie z zasadą „Tak się czyta, a tak się pisze". W tekstach zostają wprowadzone dwuznaki (ch, rz, sz, cz, dz, dź, dż) oraz wyrazy zawierające upodobnienia pod względem dźwięczności lub wymowy, uproszczenia (jabłko [japko], babka [bapka], skład [skłat], pański [pajski]), czyli wyrazy, które inaczej się pisze, a inaczej czyta.

---

* D. Czelakowska, *Metodyka edukacji polonistycznej dzieci w wieku wczesnoszkolnym*, Kraków 2009.

Poczytam ci, mamo. Elementarz ma przemyślaną konstrukcję. Na pierwszych stronach dominują ilustracje. Teksty do przeczytania są bardzo krótkie, towarzyszące im obrazki dopowiadają to, co jest do przeczytania. Czytanie ułatwia duża, wyraźna czcionka. Teksty to zamknięte rozkładówki, łatwe do objęcia przez dziecko wzrokiem. Czcionka, wraz ze wzrostem umiejętności, zaczyna się zmniejszać, a teksty stopniowo wydłużać i zajmować więcej miejsca w stosunku do ilustracji, pojawia się dzielenie wyrazów. Konstrukcja książki zachęca więc do przechodzenia na kolejne poziomy, dzięki czemu dziecko widzi, jaką drogę ma za sobą i ile już potrafi. *Elementarz* zamyka rozkładówka z alfabetem.

Spośród wielu pozycji dostępnych na rynku to *Poczytam ci, mamo* pozwala zorganizować i wspierać naukę czytania w sposób ciekawy, dlatego godna jest polecenia.

mgr Edyta Ćwikła
pedagog, metodyk
Akademia Pedagogiki Specjalnej
im. Marii Grzegorzewskiej w Warszawie

lampa

obraz

kot

Lenka

stół

płot

kura

ziarna

?odek

słoik

ogórki

lata lata **la-ta**

Co to? Dom lata?
I mama, i tata? I Lena?
I kot? I Antek, i Leonek?
I Ada? Aaaa…
to tylko sen.

19

Antek ma kilka
butelek po soku.
Zaraz zagra.
Bam, bam! Nie.
Rano nie wolno.
Cii…

Lenka ma farby. A to kot
Lenki. Itek. To nawet nie kot,
tylko kotek. Ma delikatne
futerko. A teraz Itek ma
plamy – na ogonku i obok
prawego oka.

Puk, puk, stuk, stuk. Co tak puka? Kto to
stuka? Tata robi domek. Dla ptaka? Nie.
Dla Antka i dla Leonka. Ale dla Leonka
to dopiero za kilka lat.

Balony. Cukierki. Kolorowe stragany. Cukrowa wata na patyku. A Lenka i Ada na karuzeli. Antek biegnie do Lenki i Ady. Wspaniale! To festyn.

balony   balony
ba-lo-ny

Las, lis, osa i kot. To rysunek Leny. A to Dodek Ady. Z plasteliny. Podobny, prawda? Tylko ogon ma z patyka.

ogon ogon
o-gon

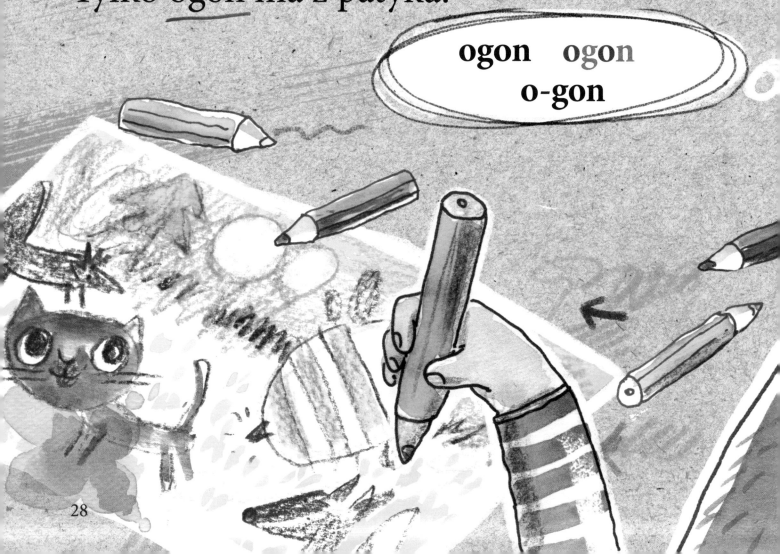

20 cm

Tata robi zakupy.
Lenka mu pomaga.
W domu nie ma
sera, mleka, cukru,
soli i piasku do
kuwety dla Itka.
Oraz kulki do
zabawy dla niego.

zakupy zakupy
za-ku-py

Nie wiadomo, co to. Ptak?
Superkot? Wielki pies? Albo rakieta
prosto z gwiazd? Ale zabawa! To
plamy na oknie. Antek lubi te
plamy. Mama nie.

Rano babcia Ady,
pani Mira, karmi
kury i koguta. Sypie
im ziarno. Potem
nakarmi kozy. Da im
owies i siano. I zrobi
ser z mleka koziego.
Ada go lubi.

owies owies
o-wies

Spodnie, bluza, kurtka, skarpetki, buty, latarka... Plecak spakowany. O, a co to? Za biurkiem stoi smutny Prosiak. I siup. Prosiak do plecaka. Na pewno polubi biwak.

Tramwaj sunie powoli. Jest korek. Ale daleko do tego parku… Na razie za oknem tylko auta i bure miasto. A w parku zielono i jasno. Lenka jest ciekawa, kogo w nim spotka.

korek korek
ko-rek

O, paw! Spaceruje wolno po alejce w parku i raz po raz rozkłada ogon. Jaki on kolorowy! Lenka po powrocie do domu namaluje pawia na wielkim kartonie. Potem go wytnie i naklei nad biurkiem, aby w pokoju było ładniej. I kolorowiej.

Most, domki i wagoniki, a tam konie i roboty. Jadą do miasta pod stołem. To niezwykłe miasto. Są tam rakiety. Dwie malutkie i jedna ogromna. Na razie są zepsute, ale Antek je naprawi. A pod stołem w drugim pokoju znajduje się

drugie miasto.
Całe mieni się od
srebrnego papieru.

jest ozdobiona , ,

piernikami. Są też pajacyki, aniołki, .

Itek trąca łapką srebrną ,

która wisi nisko. jest wysoka

aż pod sam sufit.

I ma wielkie .

To doskonałe miejsce na prezenty

dla całej  .

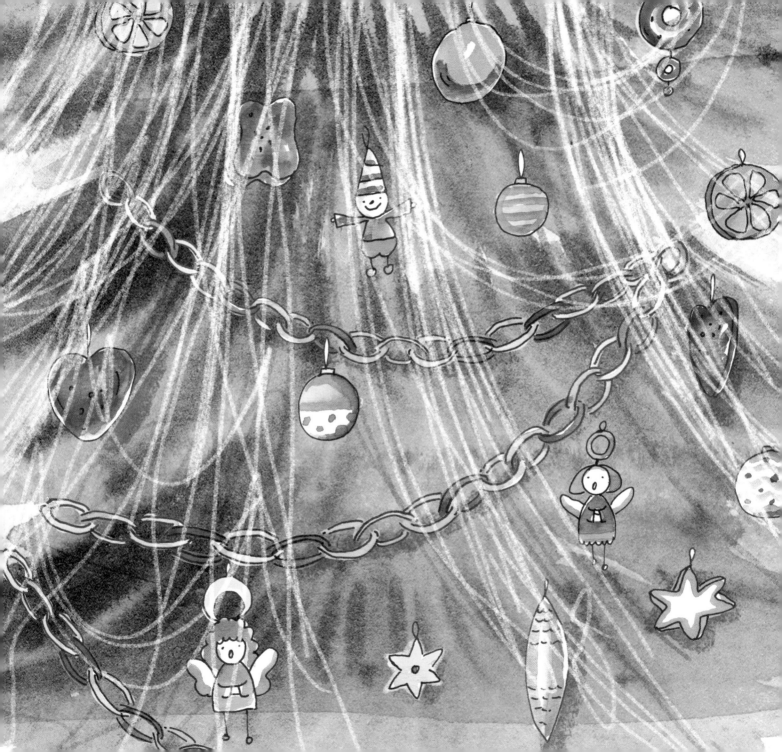

Co za <u>orkiestra</u>! Co za muzycy!
To Lenka, Ada, Antek i Leonek.
Mają niezwykłe instrumenty –
garnki, butelki, patyki,
kamienie i słoiki.
Jest stukanie, jest
pukanie. Do tego wesoły
taniec-połamaniec.
Leonkowi się podoba.
Stuka butelką w wózek
i nuci pod nosem.

orkiestra orkiestra
or-kie-stra

Tata kupił nową piłę. Antek mu pomaga. Razem tną gałęzie jabłoni, bo są już za długie. Niektóre będą idealne na bramki do gry w piłkę. Antek mówi, żeby na razie tata zostawił gałęzie pod płotem. Siatkę do bramki kupi się potem. Ale tata kręci głową. Zrobi się za duży bałagan. Lepiej od razu zajmą się robieniem bramek.

bałagan   bałagan
ba-ła-gan

Lenka, Ada i Antek są w kinie. Od dawna już planowali tę wyprawę. Na film o kosmitce i kosmicie z odległej planety. A po filmie pojadą z mamą Lenki na lody.

Ale Adę boli głowa i łzawi jej prawe oko.
Ada się tym niepokoi. Nie wie dokładnie,
co jest na ekranie. Obraz wydaje się
rozmyty.

Góry wyglądają pięknie – ozdobione kolorowymi jesiennymi lasami. Lenka, mama i tata są tutaj kilka razy w roku i wędrują całymi dniami. Tylko że teraz Lenka staje raz po raz i robi zdjęcia nowym aparatem. Dostała go na imieniny. Wędrowanie jest więc wyjątkowo powolne, ale będą za to piękne pamiątki.

Na stole pionki, kostka
i rozkładana . Antek,
mama i tata grają. Obok, w swoim
leżaku, Leonek kibicuje Antkowi.
Trzy czerwone Antka
są niedaleko domku. Mama ma
w domku dwa pionki, tata tylko
jeden. Teraz kolej Antka. Kostka
się turla i turla, i… Jest. 6 !
Znowu kolej Antka. Teraz
4 . Hura!
Antek wygrywa!

Kula. Ogromna. I ogromna druga.
I inna. Niewielka. Uff. Zimno w palce.
Patyki. Guziki. Garnek. I znowu kula.
Mokry nos, pewnie to katar. Ale to nic!
Zimowe ludki gotowe. Nawet ludek-
-kotek. Teraz Lenka zrobi zimowego
smoka, a Antek zimowego ufoludka.
Potem w domu herbata z sokiem
malinowym. I grube skarpetki na nogi.

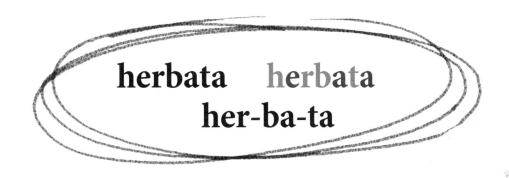

herbata   herbata
her-ba-ta

Blok Ady to ten z dużymi balkonami.
Z siódmego piętra jest piękny widok na
miasto. O, tam daleko stoi dom Lenki.
Do Ady podróżuje się windą. Nikt nie lubi,
gdy jest zepsuta… Siódme piętro jest tak
wysoko! Lenka żałuje, że nie ma windy
w swoim domu. A Ada z kolei żałuje,
że nie ma własnego ogrodu.

Leonek śpi. Obok leży Gulgul. Też śpi. Mimo że świeci słońce. Obaj rano długo bawili się z Antkiem. Wirowały kolorowe balony. Gulgul skakał po kocyku Leonka. Potem Antek śpiewał, a Leonek się śmiał i śmiał. Dlatego teraz tak mocno śpi. Ale ma zadowoloną buzię. A Gulgul zadowoloną mordkę.

Jest sobota rano. Mama i tata nadal nie wstali.

A na stole , masło, , ser, ogórek,

pomidory, , , papryka.

Lenka robi śniadaniowy prezent dla mamy i taty.

Kiedy zgłodnieją, znajdą kanapki i sok z .

Lenka też by dłużej spała, ale Itek jej nie pozwolił.

Ściągnął ją z . Pobawili się razem, a teraz

kotek znowu śpi. Na  Lenki.

chrrr...

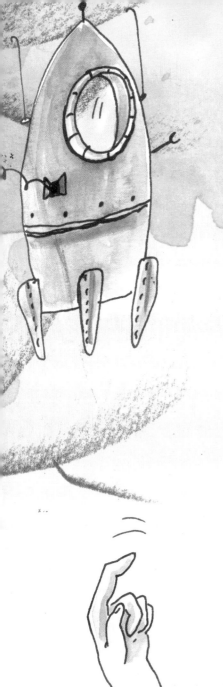

Każdy ma ulubione miejsce. Lenka – pokój, a dokładnie kącik obok biurka. Ada – pole namiotowe nad jeziorem. Jest tam co lato. Antek lubi kolorowy domek, który zbudował mu tata. Mógłby w nim spać w nocy, ale mama i tata nie pozwalają. Mówią, że Antek jest na to za mały. Też pomysł! To Leonek jest mały i dlatego musi być blisko mamy i taty.

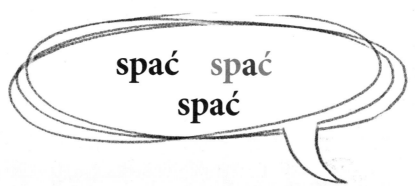

spać   spać
spać

Karola, siostra Ady, zajmuje się Meteorem. To jej koń. Stoją tu też inne konie. Karola, Ada i Lenka

źrebak źrebak
źre-bak

są w stadninie. Obok jest dużo lasów, łąk i płynie strumyk. Jak pięknie! Ale Ada i Lenka wpatrują się tylko w źrebaki. Lence podoba się ten jasny, a Ada uważa, że ładny jest źrebak brykający koło płotu. Ten brązowozłoty jak jesienne liście.

Lenka lubi karmić ptaki. Właśnie wysypała im ziarenka na parapet. I po drugiej stronie okna, pojawiły się wróble. Każdy podskakuje i kręci się radośnie. Ten malutki jest prawie srebrny. Ma niewielką głowę, krótki ogonek i małe łapki. Ale ziarenek, którymi karmi go Lenka, to potrafi połknąć całkiem sporo. I robi to raz-dwa.

Kiedy Antek mknie z góry, kiedy narty niosą go w dół, jest radosny jak skowronek. Góry, słońce, śnieg. Jest wspaniale. Obok mknie Lenka. Też jest zadowolona. A z tyłu, za Antkiem i Lenką, są mama i tata. Leonka pilnuje ciocia Marysia. To ostatnie dni ferii. Następny wyjazd na narty dopiero za kilka tygodni. Na krótko. Ale dobre i tyle.

śnieg śnieg śnieg

Niebieskie, granatowe, złote, srebrne, fioletowawe, a miejscami nawet zielone albo purpurowe. Niezwykle delikatne. Piękne. I te małe, i duże, które lubią pękać. Gdy Lenka robi <u>bańki</u> mydlane w ogródku, gdy jedna i druga płyną nad jej głową i odbijają promienie słońca, Lenka nie może oderwać

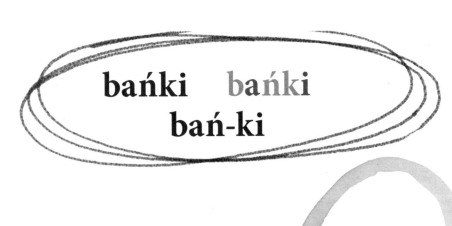

bańki bańki
bań-ki

wzroku. Myśli sobie:
„Woda, zwykłe mydło,
słomka, a takie cudne
cuda!".

ZŁY PIES i KOT

74

Ada i babcia od rana mają dużo pracy. Są głodne kozy, kury, , dwa pawie, gęsi, i kucyk Małek. Nad pustą miską wielki i kudłaty Baca. Obok niego leży pręgowana kotka, nazywa się . Śpią razem w . A w , za domem, babcia i Ada planują podlewanie.

Oj, jest tyle do zrobienia. Ale Ada to lubi. Koło południa babcia i Ada zrobią sobie „odsapkę" – tak mówi babcia. Na kompot i .

Lenka lubi lato za wakacje, lody, maliny i młody bób. Wiosnę lubi za rower i rolki, a zimę za ferie, bałwany, kuligi, narty i sanki. I lubi jesienne spacery po kolorowym lesie.

jesień   jesień
je-sień

A Julek, kolega Lenki, nie lubi lata, bo latem nie ma nart ani sanek. Nie lubi wiosny i jesieni, bo jesienią nie ma wakacji. I nie lubi zimy, bo zimą nie ma rolek, hulajnogi ani roweru. Ani zabawy w parku. I Julek cały rok jest niezadowolony.

Dodek, jamnik Ady, jest cudowny, ale ma humory. Tak uważa Ada. Gdy pada albo za mocno praży słońce, piesek się złości. Ada musi go długo namawiać, żeby razem pospacerowali. Ale gdy są już poza domem, Dodek zapomina, że trawa jest za mokra, że leży śnieg albo że jest za gorąco. Biega po całym osiedlu, a jego „hau, hau" dolatuje każdego.

goráco goráco
go-rą-co

I Ada ma kłopot, żeby namówić Dodka i jego humory na powrót do domu.

Hau Hau Hau

Antek nie lubi wizyt u dentysty. Ada i Lenka
mówią, że to nic takiego. Ale Antek wie lepiej.
Borowanie jest okropne! Dlatego Antek nie mówi
o bolącym zębie mamie ani tacie. Myśli, że ból ustąpi.
Ale nic się nie zmienia. Ząb od paru dni boli i boli.
Nawet spać nie daje, więc Antek nie ma wyboru.
Musi iść z tatą na wizytę. I udało się, ząb jest zdrowy.
Wizyty u dentysty można nie lubić. Ale mija raz-dwa.
I pomaga.

Lenka biega po placu, obok niej Antek. I nawet Dodek. Z patykiem w pysku. A Ada i Iza kręcą się na karuzeli. Smutny i bez humoru Julek stoi w oknie. Boli go kolano. Ma na nim opatrunek. Dwa dni temu spadł z roweru. Ale to nie wina Julka, tylko roweru. I kamyka, który leżał na alejce. „Głupi rower! Głupi kamyk!" – denerwuje się Julek. Ale tak naprawdę wie, że to on zawinił. Bawił się, że jest błyskawicą…

błyskawica błyskawica
błys-ka-wi-ca

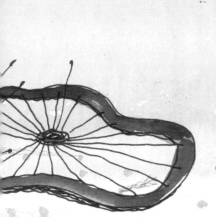

Lena, Antek, Ada i Julek leżą na trawie. Obserwują ☁ ☁ , które płyną po niebie.

– Ten obłok nad 🌳 podobny jest do 🐻 – mówi nagle Ada.

– Ale takiego ze 🪽 – dodaje Julek.

– Nie, to nie 🐻 . To smok… – odzywa się Lenka. – Z wielkim 🪮 na ogonie.

– Tak. I z 👱 na głowie! – śmieje się Antek.

Po niebie płyną kolejne obłoki. Jeden jest podobny do 👢 , drugi do kangura. Są też słoń z dwiema trąbami, ogromna 🐛 i auto. Ale najwięcej radości wywołuje ☁ podobna do Gulgula.

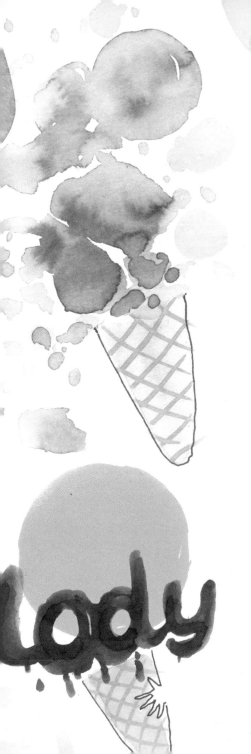

Antek lubi lody. Najbardziej te czekoladowe. Dobre są też pistacjowe. A jakie byłyby lody chmurowe? Biało-szare. Ciekawe, jaki miałyby smak. Może słodko-słony? A lody słoneczne? Żółciutkie i lekko piekące na końcu języka. A lody tęczowe? Te byłyby najpiękniejsze i najsmaczniejsze. A lody deszczowe? Dżdżyste lody. O tak, te miałyby najdziwniejszą nazwę. Najtrudniejszą do wymówienia. Byłyby błękitne i smakowałyby tak, jak pachnie powietrze po deszczu.

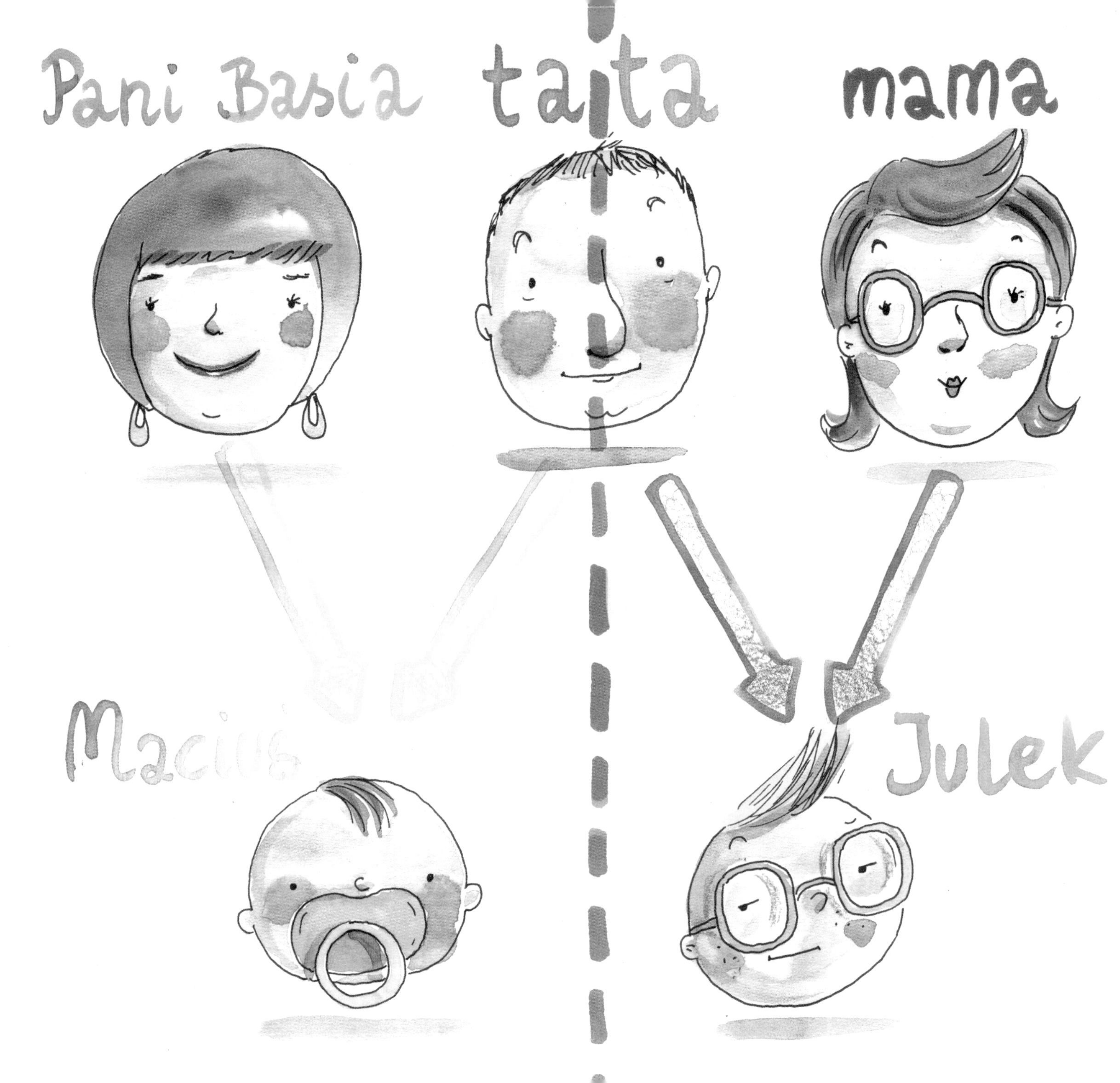

Pani Basia   tata   mama

Maciuś   Julek

Tata Julka ma nową rodzinę. Mieszka z panią Basią, swoją nową żoną, na drugim końcu miasta. Julek często ich odwiedza. Jeździ z nimi w lecie nad jezioro, a zimą na narty. Lubi panią Basię. Jest miła. Wiadomo, że najlepiej było, gdy tata, mama i Julek mieszkali razem. Ale czasami zdarza się tak, że rodzice się rozstają. Julkowi za dwa miesiące urodzi się braciszek. Pani Basia jest w ciąży. Braciszek będzie miał na imię Maciuś. To Julek wybrał dla niego imię.

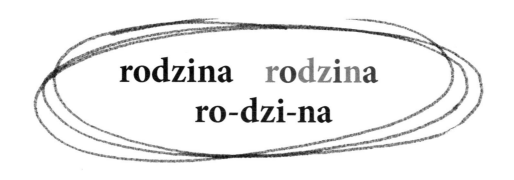

rodzina rodzina
ro-dzi-na

Od paru dni Ada ma okulary. Ale nie takie, żeby słońce nie raziło jej w oczy, tylko takie, żeby to, co jest daleko, było ostre i wyraźne. Parę tygodni temu mama zauważyła, że Ada siada bliżej telewizora, że nie widzi numeru autobusu, który się zbliża. Były u okulisty, a później u optyka i teraz Ada widzi tak jak przedtem. A jakie ma ładne oprawki!

oczy   oczy
o-czy

Jasnozielone w małe kropki.
Każdemu się podobają.
A Krzyś powiedział, że teraz
Ada wygląda najładniej na
podwórku.

książka   książka
książ-ka

Leonek lubi, gdy się
go tuli, gdy się do niego
mówi i się z nim bawi. Często
się śmieje. Ostatnio na widok kolorowych
rysunków, które Antek zawiesił mu nad łóżeczkiem.
Bracia, mimo że Leonek jest taki malutki, mają już
swoje tajemnice. Ustalili, co będą robić razem za parę
lat. W co będą się bawić, które książki czytać, które
bajki oglądać. Antek to wymyślił i zaproponował,
a Leonek wesoło potakiwał. Już się cieszą na ten
wspólny czas zabaw.

Lenka, odkąd pamięta, boi się burzy. Itek też jej nie lubi. Robi się wtedy ciemno, grzmi i błyska się. I zanim ktokolwiek z domowników się zorientuje, że burza nadciąga, przelękniony kotek kryje się pod stołem albo pod biurkiem w pokoju mamy i taty. Wtedy Lenka zapomina o tym, że też się boi. Klęka, bierze Itka na kolana i przytula. Itek mruczy. Lenka jest koło niego i to go uspokaja. Itek ma rację, że tu się ukrywa. Tu jest miło i przytulnie. I, co ważne, burza mniej przeraża, gdy jest się razem.

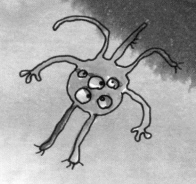
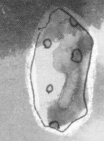

Antek od rana ma zły humor. Ciągle go coś złości, a to dopiero południe. Co robić? Może wyjść na rower? A może na spacer? Nic nie pomaga. Nogi idą albo pedałują, a w głowie nadal jest zły humor. Co teraz? Antek już wie. Siada w fotelu i wymyśla historię. Kapitan Antek siedzi w rakiecie. Razem z innymi bohaterami. Lecą na Marsa. Nagle brakuje paliwa i do tego nadlatuje rój kosmicznych kamieni. Należy coś zrobić. I to zaraz! Nie ma już mowy o złym nastroju. Wszyscy czekają na decyzje kapitana.

Karola jest prawie dorosła. Tak mówi mama
i tak mówi Karola. I domaga się, by Ada tak ją
traktowała. Przecież chodzi do liceum, udziela
korepetycji z angielskiego, niedługo wybiera
się na studia. I za parę dni odbiera dowód
osobisty. Ale Ada tak nie uważa. Bo gdy
w domu pojawiają się słodycze, to Karola,
ta prawie dorosła siostra, jest pierwsza, by
równiutko podzielić czekoladę albo cukierki.
A gdy cukierków jest nieparzysta ilość,
to wtedy Karola chce, żeby ten ostatni
cukierek podzielić na dwie części.
Po jednej dla każdej z sióstr.

Można mieć różne plany. Lenka ma taki, że skoro jedzie z rodzicami na dwa dni w góry, to powinna być piękna pogoda. Powinno być też robienie zdjęć. I ognisko. Z kiełbaskami. Plany są wspaniałe. O, już jest chatka, w tle góry, lasy. Pięknie. Ale co to za ogromne kałuże? Trawa mokra? Ciemne niebo? Kapie z niego?

   – To tylko tak na moment? – pyta Lenka.

   – Nie wiem – odpowiada mama niepewnie.

  Dwa dni minęły. Lenka, mama i tata wracają do domu. Nie było wędrowania ani ogniska, bo padało i padało. Ale były zabawy, gry, rozmowy. Było wspaniale. Mimo że Lenka zaplanowała coś innego.

Babcia Ady wie, jak nazywają się różne rośliny, żuki spacerujące w trawie, ptaki, które akurat lecą. Zna też nazwy motyli.

– O, ten żółty z ciemnym wzorem, który usiadł na kamieniu, to paź królowej – mówi pani Mira. – Trudno go spotkać w mieście. A tam po prawej fruwa cytrynek.

Ada umie już go rozpoznać. Tak samo jak bielinka albo pawika.

– A co to za ptak woła? – pyta Ada.

– To kapturka – odpowiada babcia.

Ada się śmieje.

– Nie ma takiego ptaka! Jest sójka, sroka, sikorka, ale nie ma kapturki.

Babcia mruga do roześmianej wnuczki.

– Jest, jest. Tak jak
i <u>makolągwa</u>. Kiedyś ci
pokażę.

makolągwa   makolągwa
ma-ko-ląg-wa

Statek jest niewielki, a wody wokół niego dużo. I te wyspy z piany... Kapitan się denerwuje, ciągle nie widać portu, do którego mieli zawinąć z ładunkiem. A ładunek jest niezwykły: niebieska myjka i lawendowe mydło. Pani Kaczka i Korek są zadowoleni z podróży. Coś się dzieje, coś nowego i ciekawego. Bo jak długo można siedzieć w jednym miejscu? Teraz stateczek płynie w drugą stronę. I nagle w wodzie pojawia się wyspa wyglądająca jak kolano. Hura! Są na miejscu. Zadanie wykonane. Lenka sięga po statek. Kapitan, Pani Kaczka i Korek wędrują na półkę, bo teraz kolej na mydło i myjkę.

Kaczka Kaczka
Kacz-ka

Dziś Antek ma jeden ze swoich niezwykłych dni.
Sam go wymyślił. To dzień „na odwrót". Zamiast,
jak zawsze, rysować lewą ręką, rysuje prawą.
I w taki dzień na rysunku niebo jest zielone, a trawa
niebieska. Zupę Antek je widelcem, a kotlet łyżką.
Poza tym chodzi do tyłu, więc mama się złości, że
może się przewrócić i zrobić sobie krzywdę. Na
szczęście dzień się już kończy. Był bardzo męczący.
Wszystkie czynności trwały dłużej niż zazwyczaj.
Coś pięknie pachnie. A, to mama upiekła ciasteczka.
O, już można spróbować. Ale co to? One są niedobre.
„Zamiast cukru dałam soli – wyjaśnia mama
z uśmiechem. – W końcu
to dzień na odwrót".

uśmiech   uśmiech
uś-miech

Głowa pochylona nad kartką, w ręku zaostrzony ołówek. Lenka aż wysunęła z przejęcia język. Nie jest łatwo pisać. Chciałaby, żeby literki były zgrabne i wyglądały tak jak w książce. Brzuszki powinny być nie za małe, nie za duże. Laski proste i równe. Tak samo z daszkami. A tu, na Lenkowej kartce, jedne litery przypominają krzaczki, a inne – pęknięte baloniki. Ale Lenka się nie zraża. Kiedyś nie umiała jeździć na rowerze, teraz potrafi. I to bardzo dobrze. Tak samo będzie z pisaniem. Nauczy się. I tak samo będzie z czytaniem. Miło jest, gdy mama albo tata jej czytają, ale miło też będzie samej czytać.

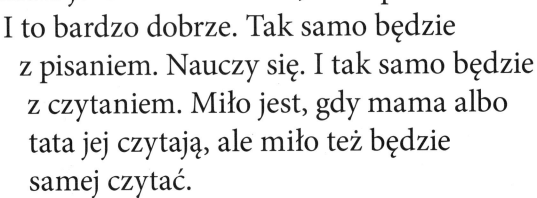

U babci i dziadka, w dużym pokoju, wisi zegar z kukułką. Mama ma swój ukochany zegarek na rękę. Inny, nakręcany na klucz, stoi u niej na biurku. U Antka wisi na ścianie wielki, okrągły zegar. Zegar elektroniczny jest też w kuchence. Są zegary w komputerze, w laptopie. Ale nie pokazują tego samego czasu. W kuchni jest 11.20, w pokoju 11.21, u mamy w komórce 11.19. Tata tłumaczy to niedoskonałościami mechanizmów.

Jest jeszcze jeden zegar w domu. Ma go w sobie Leonek. Dokładnie wie, kiedy jest pora posiłku albo pora zasypiania. Tylko że ten zegar często budzi Leonka, gdy wszyscy jeszcze śpią.

Antek, Leonek, mama i tata są u pani Joli i pana Maćka. To przyjaciele rodziców. Mieszkają w domu pod lasem. Wieczorem będzie ognisko. Teraz wszyscy jedzą obiad.

Dziś jest dzień pomyłek. Najpierw tata źle ustawił budzik i pobudka była o godzinę za wcześnie. A gdy już wszyscy znaleźli się w aucie, okazało się, że zamiast skręcić w prawo, tata skręcił w lewo. I był wielokilometrowy objazd. Kiedy zaś przyjechali na miejsce, Leonek się rozpłakał i nie można go było uspokoić. Już się wyspał i widać, że jest zadowolony. Antek mruga do niego. To nie tylko dzień pomyłek, lecz także dzień radości. Bo każda pomyłka została zamieniona w żart i powód do śmiechu. A przede wszystkim to naprawdę rodzinny czas.

Lenka i Ada bawią się w piaskownicy. Jest też druga, mniejsza, ale w niej urzędują maluchy. Lenka i Ada wcześniej były na zjeżdżalni, a teraz budują zamek. Julek się śmieje, że są już za duże na takie zabawy, ale dziewczynki się tym nie przejmują. Ozdobią zamek kamykami i zrobią płotek z patyków. Przydają się łopatki pożyczone od maluchów.

Ale co to? Z nieba zaczynają kapać krople deszczu. Nie ma już zamku. Jest za to mokry piasek. Coraz moc-

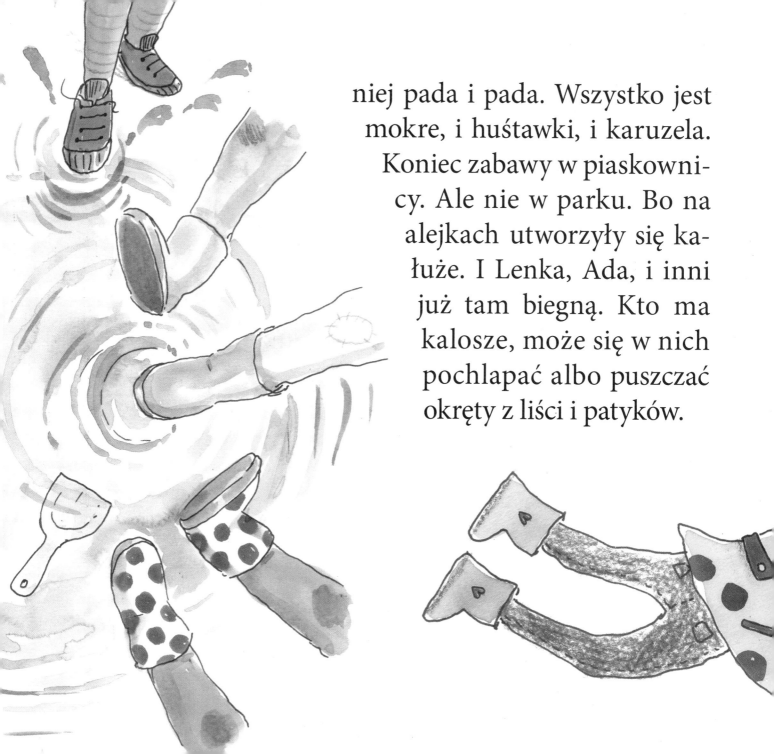

niej pada i pada. Wszystko jest mokre, i huśtawki, i karuzela. Koniec zabawy w piaskownicy. Ale nie w parku. Bo na alejkach utworzyły się kałuże. I Lenka, Ada, i inni już tam biegną. Kto ma kalosze, może się w nich pochlapać albo puszczać okręty z liści i patyków.

Antek ma swoją tajemnicę. Zna różne języki. Koci, psi, ptasi. Krowi i króliczy. Ostatnio nauczył się mysiego. Ten to jest dopiero trudny. Chłopiec umie powiedzieć parę słów w każdym z tych języków, napisać swoje imię, parę prostych wyrazów i nawet trudniejsze, takie jak „dachówka" czy „odkurzacz". Dla niewtajemniczonych zapisane przez niego słowa przypominają esy-floresy, ale cóż, skoro takie właśnie są litery w alfabecie kocim czy ptasim. A gdy nauczy się dobrze pisać, przygotuje słownik kocio-psi. Na razie ma problem z językiem ludzkim. Są rzeczy, które słyszy, ale nie może ich zapamiętać. Dotyczy to szczególnie takich uwag, jak: „Synku, posprzątaj w pokoju", „To nie jest film dla dzieci", „Pora spać".

W ogrodzie, niedaleko drzewa z domkiem, Lenka, Ada, Antek, Julek i Krzysiek budują rakietę kosmiczną. Na razie nie ma rakiety, są pudła, puste butelki po wodzie, różnokolorowe sznurki. I trzy rolki taśmy samoprzylepnej. Każdy wie, że bez niej nie uda się zbudować żadnego porządnego kosmicznego pojazdu. Plan rakiety w najdrobniejszych szczegółach jest narysowany na wielkim kartonie. Będą trzy nieduże okna i małe drzwi. Dwa silniki. Osłona termiczna. Czekają już pędzel i puszka z farbą. Cała rakieta będzie niebieska. Wspaniałe jest takie wspólne budowanie. Dużo w nim śmiechu, żartów i radości. Jest też przerwa na sok i ciasto z truskawkami.

Po południu pod drzewem nie ma rakiety, tylko stoją trzy wagoniki, jeden za drugim. Potrzebna jest lokomotywa, może jeszcze wagon towarowy i będzie można wybrać się na wycieczkę nad morze.

„Lalki to mają dobrze" – wzdycha Lenka i układa Klarę w wózku obok Marysi. „Nie muszą sprzątać w swoim pokoju ani wycierać lustra w łazience. A jak by to było być lalką? – zastanawia się dziewczynka. – Taką jak Klara. Albo szmacianą jak Karolka. Z wiśniowymi włosami i czarnymi oczami. A jak miałabym na imię? Może Florentynka? A co bym robiła? W nocy spałabym w wózku z Klarą, w dzień bawiłabym się z innymi zabawkami. Ktoś by mnie czesał, przebierał w sukienki. No tak, co poza tym? Mogłabym długo rano spać. Zostałyby same przyjemności, odpadłyby obowiązki. Byłoby cudownie". Dziewczynka wzdycha i zamyśla się. „Czy na pewno? Nie byłoby zabaw z innymi dziećmi, szaleństw na rowerze, grania w piłkę z Antkiem. Nie byłoby cowieczornego czytania przez tatę, chodzenia z mamą na basen. Nie, nie". Lenka nakrywa lalki kołderką. Lalki niech pozostaną lalkami, a Lenka Lenką.

Szklane kulki najładniej wyglądają, gdy pada na nie światło słoneczne. Wtedy okazuje się, że niebieska kulka jest też trochę fioletowa i ciemnoszara. A w fioletowej widać szaro-czerwony szlaczek. Lenka najbardziej lubi czerwoną w czarne kropki. Czasami bawi się, że jest biedronką. Antek też zbiera kulki. Jego ulubioną jest wielka ciemnozielona. Z jednej strony ma nierówną powierzchnię.

Kulki Lenki mieszkają w pomarańczowym blaszanym pudle po herbacie, a Antka – w drewnianej skrzynce. Ale czasami dzieci wymieniają się swoimi skarbami. Nawet tymi ulubionymi. Jakiś czas temu Lence zginęła zielona kulka Antka. Dziewczynka zajrzała w każdy kąt swojego pokoju, nawet posprzątała na biurku. Kulki nigdzie nie było, więc Lenka chciała dać w zamian Antkowi swoją biedronkę. Ale na szczęście zielona kulka się znalazła. Okazało się, że leżała między zabawkami Itka. Od tego czasu Lenka wie, że kotek też lubi szklane kulki.

Lenka rozkłada kartoniki z wypisanymi na nich literami i buduje z nich wyrazy. Ale tylko niezwykłe. Gdy się podzieli taki wyraz na sylaby i zmieni ich kolejność, powstaje nowe słowo: „sło-ma" i „ma-sło", „ka-bel" i „bel-ka", „li-pa" i „pa-li". Są też inne niezwykłe. Takie, że i od przodu, i od tyłu czyta się je tak samo: „oko", „kajak", „sos".

Dziewczynka przekłada kartoniki. „Lena". Jeszcze jedna litera i jest „Lenka". Zabrać „k" i znowu „Lena". A gdyby tak poprzestawiać? Z „Leny" robi się „Nela". A jaka jest Nela? Lenka przymyka oczy i już wie. Nela jest jej rówieśnicą. Ma krótkie rude włosy, piegi na bladej twarzy i lubi jeść to wszystko, czego nie lubi Lenka… Co jeszcze? Ma młodszą siostrę, razem z rodzicami mieszkają w domu blisko lasu. Nela potrafi nazwać każdego ptaka, każde zwierzę, które zobaczy. Umie jeździć konno. Lenka uśmiecha się do swoich myśli. Chciałaby kiedyś spotkać Nelę. Już ją lubi.

Antek często obserwuje, co się dzieje w trawie. Lubi patrzeć na mrówki, dżdżownice, żuki. A najbardziej na ślimaki. Któregoś dnia znalazł ślimaka z piękną ciemnobrązową skorupką i zabrał go do swojego pokoju. Potem zbudował dom dla Maciusia, bo takie imię nadał ślimakowi. Kartonowe pudło, liście, trawa, cząstka jabłka. Kawałek sera białego, bo przecież „ślimak, ślimak, pokaż rogi, dam ci sera na pierogi". Ale tylko dwie godziny mieszkał Maciuś w pokoju. Koło południa mama znalazła karton i poleciła wynieść Maciusia tam, skąd został zabrany. Powiedziała, że choćby Antek starał się jak najmocniej, to ślimakowi będzie lepiej tam, gdzie jest jego prawdziwy dom.

Antek pożegnał się z Maciusiem i odniósł go do ogródka. Ale nie był przekonany do decyzji mamy. Co innego, gdyby to był jeden z tych bezskorupowych, na których widok mama się krzywi. A Maciuś to przecież piękny ślimak.

Itek i Dodek skaczą na ogromnych kolorowych piłkach. To zawody. Przyglądają im się Antek w stroju króla i Lenka w stroju rycerza. Obok siedzą wiewiórki z pobliskiego parku. Każdy z widzów trzyma patyk z watą cukrową. Tymczasem na niebie zbierają się chmury. Na ziemię spada deszcz kolorowych cukierków, które zamieniają się w kolorowe kulki. Takie same, jakie zbierają Lenka i Antek. Nagle zrywa się wiatr i porywa kulki. I piłki. Fruwają wysoko, wysoko nad głowami. Co teraz?

Lenka sięga po temperówkę i ostrzy kredki. Kolejny deszcz? Nie, nie, musi być coś innego. A może na pobliskiej łące wyląduje rakieta? Wielka rakieta w kształcie lizaka. A w niej dwóch kosmicznych wędrowców. Ithek i Dothek. Przylecieli na ziemię na wakacje. Lenka ostrzy pozostałe kredki i dokleja kolejne kartki. Trzeba wymyślić okładkę. No i tytuł. Książeczka, nad którą pracuje, będzie gruba. W głowie Lenki aż się roi od pomysłów.

Kiedy Antek był malutki, niebieski Prosiak pomagał mu w zasypianiu. Mama nazywała go Mistrzem Zasypialskim. Teraz, gdy Antek jest duży i nie boi się ciemności, Prosiak mieszka na szafie, skąd ma widok na cały pokój. Małemu Leonkowi Gulgul pomaga w zasypianiu. Towarzyszy mu również przy jedzeniu i gdy Gulgul ubrudzi się sokiem albo kaszką, któreś z rodziców pierze go w pralce, a potem suszy suszarką, bo Leonek płacze i wieczorem nie umie bez niego zasnąć. A Gulgul często się gubi i najczęściej to Antek go znajduje. Ostatnio w ogródku pod drzewem. Nikt nie wiedział, jak się tam dostał. Tata uważa, że Gulgul ma naturę wędrowca i stąd te wycieczki. A dziś gdzie może być? Nie ma go w kuchni ani w żadnym z pokojów. Leonek płacze coraz głośniej. Chce spać. I nagle Antek odkrywa pluszaka w łóżeczku Leonka. Zaplątanego w kołderkę. No, no, okazuje się, że Gulgul ma nie tylko naturę wędrowca, lecz także poczucie humoru.

Po prawej stronie kamienistej drogi stoją drewniane budki z serkami i wielkimi kromkami chleba ze smalcem. Są też słoiki z ogórkami. I oczywiście lody. Po lewej stronie stragany z pamiątkami. Drewniane tarcze, hełmy, miecze, wachlarze i wianki na głowę. Lence najbardziej podobają się skamieniałości. Leżą w wiklinowych koszach. Wie, że to amonity. Ale Lenka chciałaby znaleźć własny.

Lody cytrynowe zjedzone, ruiny zwiedzone. Jeszcze parę zdjęć i można wracać. Znowu kamienista dróżka, teraz się nią łatwiej idzie, bo prowadzi w dół. Stragany i budki po jednej i drugiej stronie, coraz więcej osób, w słoikach coraz mniej ogórków. Słońce przygrzewa mocniej i mocniej. Jest parking i samochód. Uff, ale nagrzany. Rodzice otwierają drzwi, żeby go przewietrzyć, a Lenka siada pod drzewem i opiera się o jego pień. Coś uwiera ją w pupę. Co to? Amonit. Najładniejszy.

Antek przygotowuje warzywa na zupę jarzynową. Tata siedzi obok i pilnuje, żeby chłopiec nie skaleczył się nożem. Umowa jest taka, że nic nie komentuje. Ziemniaki, marchewka, zielony groszek, pietruszka i seler. Warzywa pięknie pachną i wyglądają. Teraz na durszlak i do zlewu. A potem do garnka. Jeszcze przyprawy. Tylko które? O, słoiczek z kolorowym pieprzem. Może po trzy kulki? Nie, za mało. Po pięć. I jeszcze szarozielone listki. Na słoiczku jest napisane: „liście laurowe". Też pięć. A co tu? „Czuszka"? Piękny ma kolor. Może pół łyżeczki? Tata chce coś powiedzieć, ale Antek kręci przecząco głową. Mają przecież umowę. A co jest w tym małym pojemniku? Na etykiecie mama napisała: „kardamon". No to siup do zupy. W kuchni pachnie, ale inaczej niż wtedy, gdy gotuje któreś z rodziców. Tata ma dziwną minę, ale milczy, a Antek sprząta. Zupa już chyba gotowa. Zaraz,

zaraz, ale gdzie sól? Jest. Antek i tata próbują zupę. Tata się krzywi, jednak nic nie mówi. Antek się krzywi i też nic nie mówi. Zamiast pysznej zupy jarzynowej w garnku jest coś bardzo, ale to bardzo ostrego. Fuj.

Gdy Lenka ma urodziny albo imieniny i gdy pytają, co chciałaby dostać w prezencie, odpowiada, że pudełko. Bo pudełka są idealne, by przechowywać w nich kredki, stare kółka od rolek, kolorowe kulki, zabawki, rysunki, zdjęcia, spinki do włosów. No, jednym słowem – wszystko. Pudełka stoją w pokoju dziewczynki na półkach i w kącie koło łóżka.

Jest ich coraz więcej. Ale Lenka ma też jedno niezwykłe pudełko. W głowie. Są w nim wspomnienia. Te świeże, kolorowe i te tak odległe, że już straciły barwy. To ostatnie jest sprzed trzech tygodni, kiedy rodzice i Lenka byli w górach. Dalsze wspomnienia to zbieranie muszelek na plaży, święta spędzone u cioci Kasi, gdzie choinka zajmowała prawie pół pokoju. Najodleglejsze to wspomnienie, gdy malutka Lenka siedziała u babci Krysi, mamy taty, na kolanach. Dziewczynka pamięta, że to na pewno była zima, bo za oknem sypał śnieg, mama mówi, że to było na pewno lato. Ale jaka była pora roku, to najmniej ważne w tym wspomnieniu. Babcia już nie żyje. Ale Lenka nadal pamięta jej uśmiech.

Antek ma lasso, kapelusz i kamizelkę z frędzlami. I oczywiście srebrną gwiazdę. Bez niej byłby zwykłym kowbojem, a tak wszyscy wiedzą, że to Szeryf. Antek uważa, że jego strój jest najfajniejszy na całej zabawie karnawałowej. Dobry jest też kostium Lenki, która przebrała się za Kosmicznego Ptaka. Na zielonej głowie bujają się jej srebrne antenki, a na plecach srebrne skrzydełka i ogonek. Naraz na salę wkracza ktoś w długiej pelerynie, czarnej masce i ze świetlnym mieczem. „To dopiero superkostium" – wzdycha Antek z zazdrością. Już mu się nie podoba ani jego kapelusz, ani kamizelka. Nawet gwiazda. Szeryf podziwia Czarnego Rycerza i nie wie, że Czarny Rycerz podziwia Szeryfa i najbardziej zazdrości mu srebrnej gwiazdy. Nie mija jednak wiele czasu i bawi się tu dwóch chłopców – jeden w pelerynie i ze srebrną gwiazdą, a drugi w kamizelce i czarnej masce. Ten pierwszy trzyma w ręku lasso, drugi świetlny miecz. Obaj są w doskonałych humorach i uważają, że mają najfajniejsze kostiumy.

Itek to nie Kitek – złości się Lena. – Mój kotek ma na imię Itek – powtarza coraz bardziej zniecierpliwionym głosem.

– Kitek – mówi lekceważąco Julek.

– I-tek, I-tek – sylabizuje dziewczynka.

Julek uśmiecha się krzywo. Itek, Kitek, Mitek. Brzmi bardzo podobnie, a przecież kota pewnie i tak tylko interesuje, żeby mieć pełną miskę.

„Nie ma co gadać z Julkiem, skoro nie rozumie najprostszych rzeczy – myśli Lenka. – Itek to nie Kitek, tak samo jak Julek to nie Jurek".

Każde z dzieci ma swoje sprawy, swoje życie. Mija wiele dni, zanim znowu się spotykają w parku. Lenka nie ma ochoty na rozmowę z Julkiem, ale chłopiec zostawia kolegów i podbiega do niej.

– Wiesz co? Na urodziny dostałem szczeniaczka. Labradora! – Uśmiecha się i wcale nie jest podobny do tego Julka, którego Lenka zna.

– A jak ma na imię?

– Maks. Maksik. Nawet nie wiesz, jaki jest fajny.

Lenka ma ochotę podroczyć się z Julkiem i spytać o Baksa. Baksika. Ale nie robi tego, bo nigdy wcześniej nie widziała Julka tak szczęśliwego. Zamiast tego mówi:

– Ładnie. A co lubi?

– Najbardziej to gryźć buty mamy – odpowiada ze śmiechem Julek. – W sobotę będę miał przyjęcie urodzinowe. Przyjdziesz? Zobaczysz Maksika.

– A pewnie. Chętnie.

– Będzie fajnie! – cieszy się Julek i biegnie do kolegów. Naraz zatrzymuje się w połowie drogi i woła do dziewczynki:

– Pozdrów Itka!

Maksik · Baksik

Stopy Leonka plaskają po plaży. Szu… szu… szu… szumią fale. Gdy biegnie, to słychać szybciutkie: „plask, plask, plask, plask, plask", a gdy idzie powoli, słychać: „plask… plask… plask… plask… plask". Na plaży jest dużo ludzi, biegają psy. Jeden z nich, duży i kudłaty, szczeka grubym głosem: „hau, hau, hau". Drugi, malutki, z kolorową obróżką, szczeka cieniutko: „hau, hau, hau". Leonek wygrzebuje z piasku dwie muszelki, białą i różową, i pakuje do kieszonki. A morze

szumi. Szu… szuu… szu… szu… Morze prosi: „Pobaw się ze mną. Nudzę się".

Leonek podbiega do wody i czeka, kiedy fale będą tuż-tuż, przy jego stopach. Gdy się zbliżają, chłopiec odskakuje i śmieje się: „Nie udało ci się. Nie złapałyście mnie".

Potem robi duży skok w stronę wody. Morze liże stopy chłopca. I szumi, bardzo zadowolone z siebie: „Szuu… szuuu… Jaka wspaniała zabawa".

Ale chłopiec musi już wracać do domu. Zaraz będzie popołudniowa drzemka. I Leonek mówi do morza: „Jutro też będziemy się bawić, przyjdę rano".

A morze odpowiada: „Szu… szu… szu… Przygotuję dla ciebie piękną muszelkę. Do jutra… szu… szu… szu…".

Antek mówi coraz ciszej i ciszej, poprawia kocyk i przykrywa zasypiającego Leonka, potem uśmiecha się do Gulgula. To ulubiona bajka Leonka. Może jej słuchać codziennie. Gulgul chyba też.

Przed Lenką skrawki materiałów, kłębki wełny, nitki, wstążki, guziki, kawał zielonego drucika, kolorowy papier i tektura. Małe palce wycinają, tną, kleją. Już po chwili na biurku stoi puchaty szary wróbelek. Ma nóżki z drucików, dziób z tektury i wesoło patrzy oczami z guzików.

– Jesteś najładniejszym ptaszkiem, jakiego zrobiłam – mówi dziewczynka i zawiązuje na szyi wróbelka kokardkę z czerwonej włóczki. – Twój dziobek jeszcze nie wysechł. Postawię cię na parapecie, w słońcu. Tam się wysuszy.

Lenka wędruje do ogródka. O, Antek siedzi na tarasie.

– Pokażę ci coś niezwykłego – szepcze. Dzieci pędzą do pokoju, a Lenka zaczyna się gorączkowo kręcić wokół parapetu. – Nie ma! Nie ma! – Dziewczynka wybiega, a Antek za nią.

Antek dowiaduje się, że Lenka zrobiła wróbelka, że zabawka zniknęła z parapetu i pewnie leży gdzieś w trawie. Ale tam też jej nie ma. Lence jest bardzo smutno. Zastanawiają się oboje, co się mogło z nią stać.

– Może sroka porwała twojego wróbelka? Przecież to drapieżnik – mówi chłopiec. – Albo orzeł?

Lenka wraca do pokoju po lornetkę. Patrzy na pobliskie drzewa. Jest jej wróbelek. Nad pobliskim chodnikiem lata stado wróbli. A jeden z nich ma na szyi czerwoną kokardę.

Znowu pada deszcz. Antek nie lubi takiej pogody. Nie można się bawić na podwórku. Jest szaro i smutno.

– Dobrze, że pada – mówi mama. – W ogródku jest bardzo sucho, samo podlewanie nie wystarcza.

– Źle, że pada. Miałem iść na rower – mruczy Antek. I nadyma się obrażony, ot tak, na wszystkich i cały świat. – Nudzę się.

– Tak się będziesz złościł i nudził aż do wieczora? A może też jutro? Zapowiadają podobną pogodę.

Antek staje przy oknie. Pada, ale zaczyna świecić słońce i pojawia się tęcza. O, była taka bajka o tęczy i kuferku złota ukrytym na jej końcu. Trzeba się spieszyć, póki tęcza nie zniknęła. Antek bierze plecak. Wrzuca do niego butelkę z wodą, paczkę ciastek, dwa jabłka, scyzoryk i sznurek.

Potem wkłada kurtkę z kapturem. I wyrusza w podróż. Wędruje polami, lasami, musi nawet wspinać się po stromych skałach. Bardzo przydaje się wtedy sznurek. Cały czas pilnie patrzy w niebo i idzie w kierunku końca tęczy. Nie jest ani zmęczony, ani głodny. Wokół niego rosną rośliny, których nie zna. O, nad głową fruwa ciemnozielony ptak w białe kropki. Antek raźno maszeruje przed siebie. Chciałby dojść do ciemnofioletowej kępy drzew, zza której wychyla się czerwona głowa wielkiej żyrafy.

– I co tam, synku? – Chłopiec słyszy głos mamy.

Mama tutaj? Antek się rozgląda. Nie ma już dziwnych zwierząt, dziwnych roślin. Jest w swoim pokoju.

– A dobrze – odpowiada Antek szczerze.

– Nadal się nudzisz i złościsz?

– Ani jedno, ani drugie. I mam plany na jutro.

– Czyli?

– To samo co dziś. Tylko zaproszę Lenkę.

Mama często mówi ze śmiechem do Lenki: „Latasz jak kot z pęcherzem. Nie możesz chwilę spokojnie posiedzieć?". Ale Lenka nie może. Przecież jest tyle rzeczy do zrobienia: dodatkowe zajęcia z angielskiego, basen, jazda na rolkach, na rowerze, zabawy z Antkiem, zajmowanie się Itkiem. I codzienne marzenia o lataniu. Bo Lenka uważa, że nie ma nic wspanialszego niż latanie. Na razie rodzice czytają jej o samolotach, ogląda filmy o ptakach, klei latawce i marzy. Raz o tym, że jest chmurą, innym razem – że samolotem, który lata po całym świecie, albo jego pilotem.

Któregoś dnia dziewczynka zachorowała. Dużo spała, trochę rysowała, obserwowała przez okno chmury przepływające na niebie i ptaki. Ale po południu ptaki odleciały, bo rozpętała się burza. Mama pozamykała okna, a Lenka wystraszona zanurkowała pod kołdrę. Itek siedział, wyjątkowo nie pod biurkiem, tylko razem z nią na łóżku.

Pod kołdrą było przytulnie, ale duszno, więc dziewczynka musiała wystawiać spod niej nos. I naraz zauważyła błękitnego ptaka. Jeszcze nigdy takiego nie widziała. Ptak przysiadł na parapecie, widać było, że coś mu dolega. Gdy zagrzmiało, Lenka znowu schowała się pod kołdrę, ale jednym okiem nadal zerkała w kierunku okna. Błękitny ptak ciągle tam był.

– Leć stąd. Schowaj się – powiedziała, i naraz się zawstydziła. Ona tu siedzi bezpiecznie w łóżku, a tam marznie bezbronny ptaszek. – Wpuszczę cię, już idę, już. A ty tu czekaj, zaraz wrócę. – Pogłaskała Itka po łebku.

Droga z łóżka do okna wydawała się jej niezwykle długa. Gdy przekręcała klamkę, była cała spocona ze strachu. I wtedy, jak za dotknięciem czarodziejskiej różdżki, burza ucichła. Błękitny ptak wleciał do pokoju, a potem szybko z niego wyleciał. Lenka zamknęła okno i wróciła do łóżka. Na kołdrze leżało błękitne piórko. Schowała je pod poduszkę, wypiła lekarstwo, które przyniósł tata, porozmawiała z Itkiem i zasnęła.

I śniło jej się, że jest zielonym ptakiem. Podobnym do tego błękitnego. Że razem z Błękitkiem, bo tak miał tamten na imię, latają nad polami, łąkami, lasami. Kąpią się w górskim strumieniu, suszą piórka w promieniach słonecznych i czekają na nie inne ptaki, bo zaplanowane są zawody, najważniejsze w całym roku –

zawody, który z ptaków poleci najszybciej, a który najwyżej. Nagrodą są dwie złote gąsienice.

Tak wspaniałego snu Lenka jeszcze nigdy nie miała. Czu-
ła, że lata, że unoszą ją prądy powietrza. Bolały ją skrzy-
dła, ale było to przyjemne odczucie. A najprzyjemniej i naj-
wspanialej było wtedy, gdy poleciała najwyżej z wszystkich
ptaków. Prawie do samych chmur.

I jedna złota gąsienica trafiła do Lenki. Drugą dostał so-
kół wędrowny.

Wtedy Lenka nagle poczuła, że ktoś gładzi ją po głowie.
Otworzyła oczy i zobaczyła tatę.

– Córeczko…

– Ale miałam sen – jęknęła. – Szkoda, że mnie obudziłeś.

– Musiałem, czas na antybiotyk. A co to jest? Tu, na po-
duszce.

I Lenka zobaczyła złotą gąsienicę…

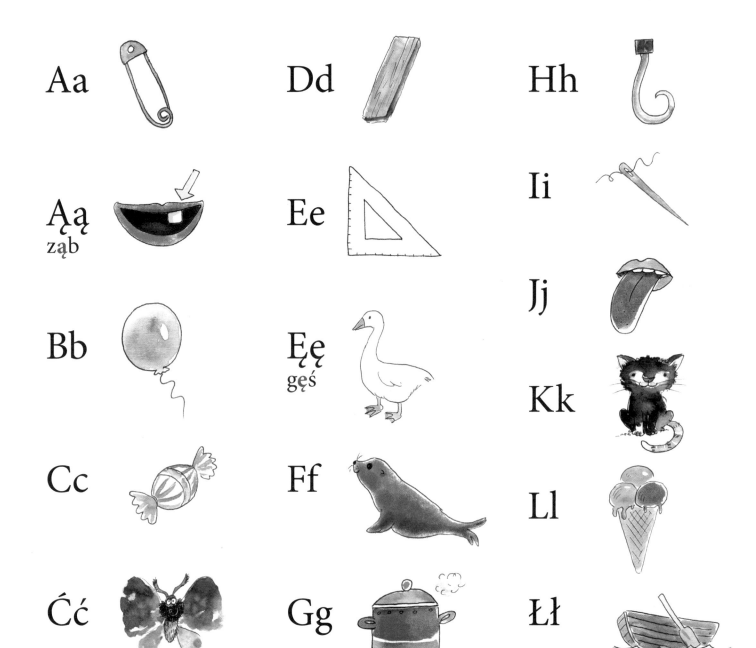

Aa

Ąą
ząb

Bb

Cc

Ćć

Dd

Ee

Ęę
gęś

Ff

Gg

Hh

Ii

Jj

Kk

Ll

Łł

Mm		Rr		Yy mysz	
Nn		Ss		Zz	
Ńń koń		Śś		Żż	
Oo		Tt		Źź	
Óó bóbr		Uu			
Pp		Ww			

Antek, Lenka, Ada, Julek i Krzyś to piątka przyjaciół.

Poznajcie bliżej ich świat. Dużo w nim zabaw, podróżowania, marzeń, szalonych pomysłów, a także wiele innych ważnych dla wszystkich dzieci spraw.

Seria *Poczytam ci, mamo* to bogato ilustrowane książki wyróżniające się dużą czcionką i tematyką bliską dzieciom. Polecamy dla początkujących czytelników!

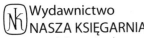

Wydawnictwo NASZA KSIĘGARNIA
www.naszaksiegarnia.pl

02-868 Warszawa, ul. Sarabandy 24c
tel. 22 643 93 89, 22 331 91 49, faks 22 643 70 28
e-mail: naszaksiegarnia@nk.com.pl

Dział Handlowy
tel. 22 331 91 55, tel./faks 22 643 64 42
Sprzedaż wysyłkowa: tel. 22 641 56 32
e-mail: sklep.wysylkowy@nk.com.pl   **www.nk.com.pl**

Książkę wydrukowano na papierze Lux Cream 90 g/m².

ZiNG

Redaktor prowadzący *Katarzyna Piętka*
Redakcja *Magdalena Korobkiewicz*
Korekta *Joanna Kończak, Małgorzata Ruszkowska*
Opracowanie DTP, redakcja techniczna *Joanna Piotrowska*

ISBN 978-83-10-12792-1

PRINTED IN POLAND

Wydawnictwo „Nasza Księgarnia”, Warszawa 2019 r.
Druk: Zakład Graficzny COLONEL, Kraków

ANTEK
KAPITAN
JULEK
błyskawica
mama
TATO
rozmyty
ZIELONY
nowe
WSPA